El cuadernillo
DEFINITIVO
DE ESCRITURA
 para niños

Mándanos un correo electrónico a

modernkidpress@gmail.com

para conseguir contenido extra
gratuito.

Solo tienes que poner en el asunto
«Cuadernillo definitivo de escritura» y te
enviaremos algunas sorpresas.

ESTE LIBRO PERTENECE A:

Nombre

Contenidos

PRIMERA PARTRE: Letras.............. 5

SEGUNDA PARTRE: Palabras.......... 61

TERCERA PARTRE: Números........... 89

CUARTA PARTRE: Frases............ 101

LETRAS

En esta sección, vamos a practicar repasando cada una de las letras en cursiva, en mayúscula y en minúscula. Empieza fijándote en los números y las flechas que vienen en cada una de las letras en negrita y que te indican en qué dirección tienes que mover el lápiz y dónde empieza y dónde acaba cada letra. ¡Luego sigue lá linea de puntos antes de intentar escribir las letras sin ayuda!

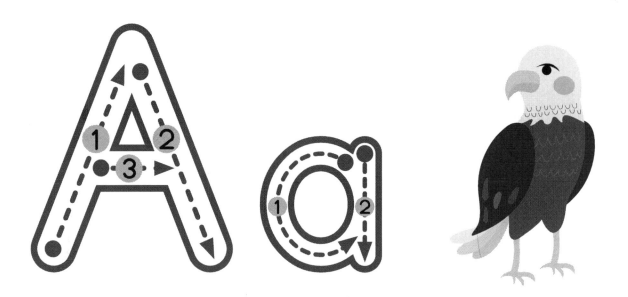

Repasa cada una de las letras y luego escríbelas sin ayuda.

A A A A A A

A A A A A

A A A A A

A

A

a a a a a a

a a a a a a

a a a a a a

a

a

A B C D E F G H I J K L M N Ñ O P Q R S T U V W X Y Z

B de ballena

Repasa cada una de las letras y luego escríbelas sin ayuda.

B B B B B

B B B B B

B B B B B

A B C D E F G H I J K L M N Ñ O P Q R S T U V W X Y Z

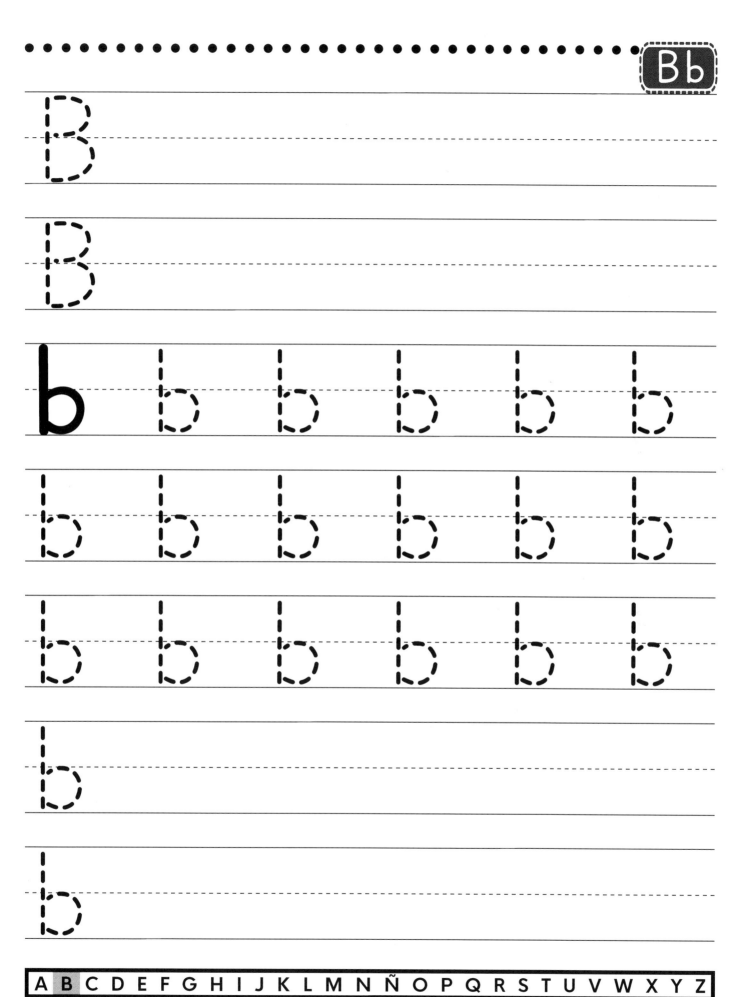

A B C D E F G H I J K L M N Ñ O P Q R S T U V W X Y Z

C de cocodrilo

Repasa cada una de las letras y luego escríbelas sin ayuda.

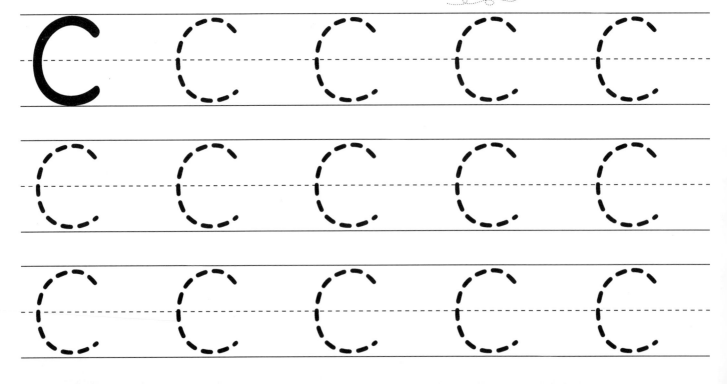

A B C D E F G H I J K L M N Ñ O P Q R S T U V W X Y Z

C

C

C C C C C C

C C C C C C

C C C C C C

C

C

A B C D E F G H I J K L M N Ñ O P Q R S T U V W X Y Z

D de delfín

Repasa cada una de las letras y luego escríbelas sin ayuda.

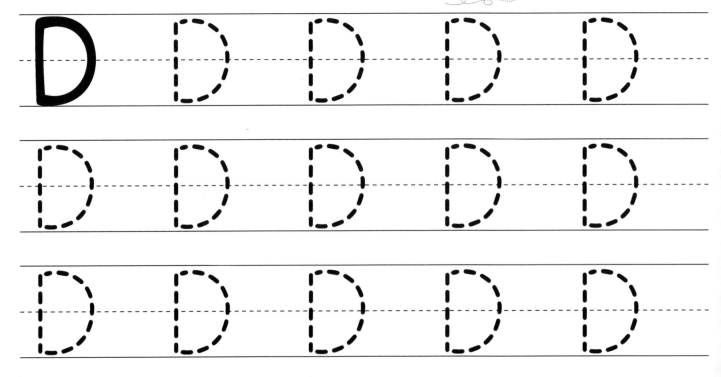

A B C **D** E F G H I J K L M N Ñ O P Q R S T U V W X Y Z

D

D

d   d   d   d   d   d

d   d   d   d   d   d

d   d   d   d   d   d

d

d

A B C D E F G H I J K L M N Ñ O P Q R S T U V W X Y Z

E de elefante

Repasa cada una de las letras y luego escríbelas sin ayuda.

E E E E E E

E E E E E E

E E E E E E

A B C D **E** F G H I J K L M N Ñ O P Q R S T U V W X Y Z

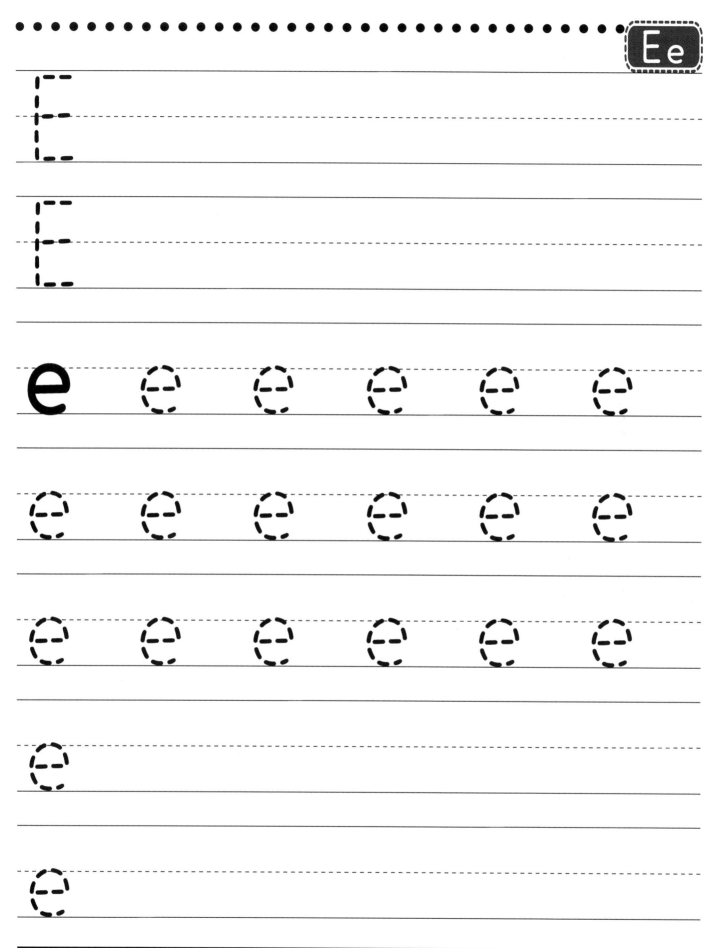

A B C D E F G H I J K L M N Ñ O P Q R S T U V W X Y Z

F de foca

Repasa cada una de las letras y luego escríbelas sin ayuda.

F F F F F

F F F F F

F F F F F

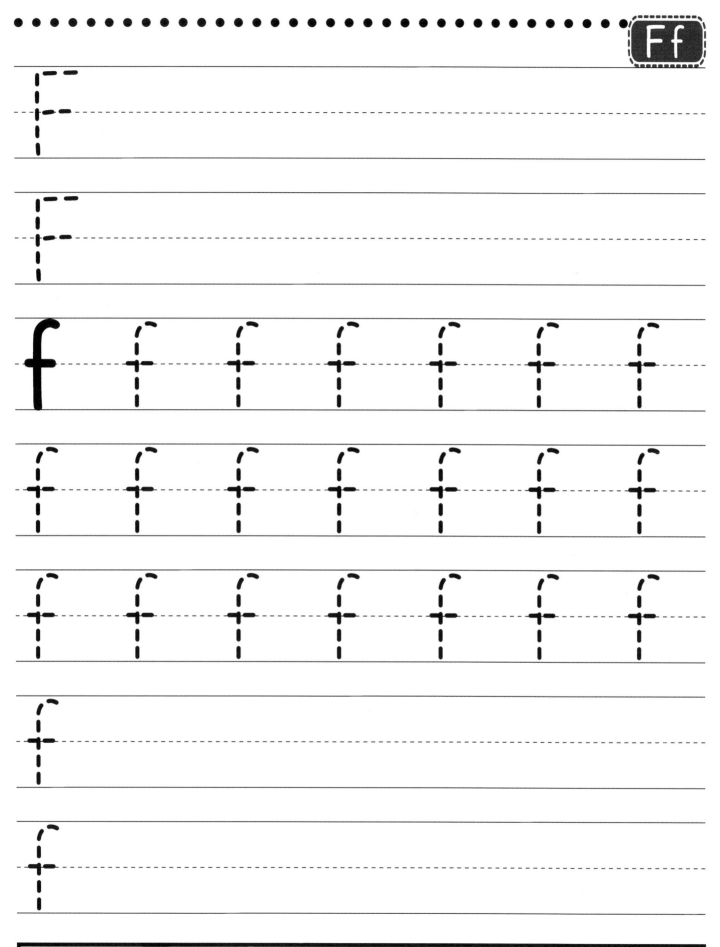

Repasa cada una de las letras y luego escríbelas sin ayuda.

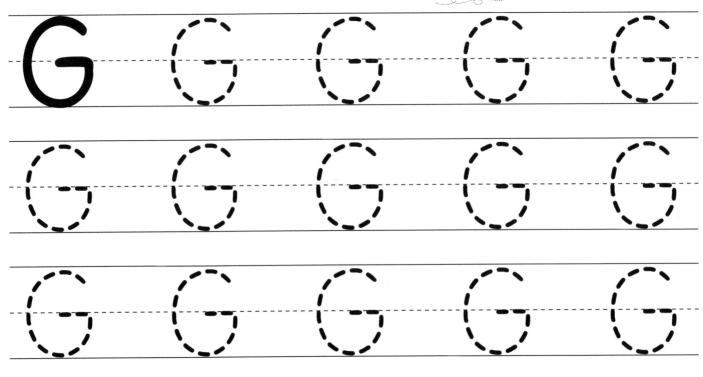

A B C D E F **G** H I J K L M N Ñ O P Q R S T U V W X Y Z

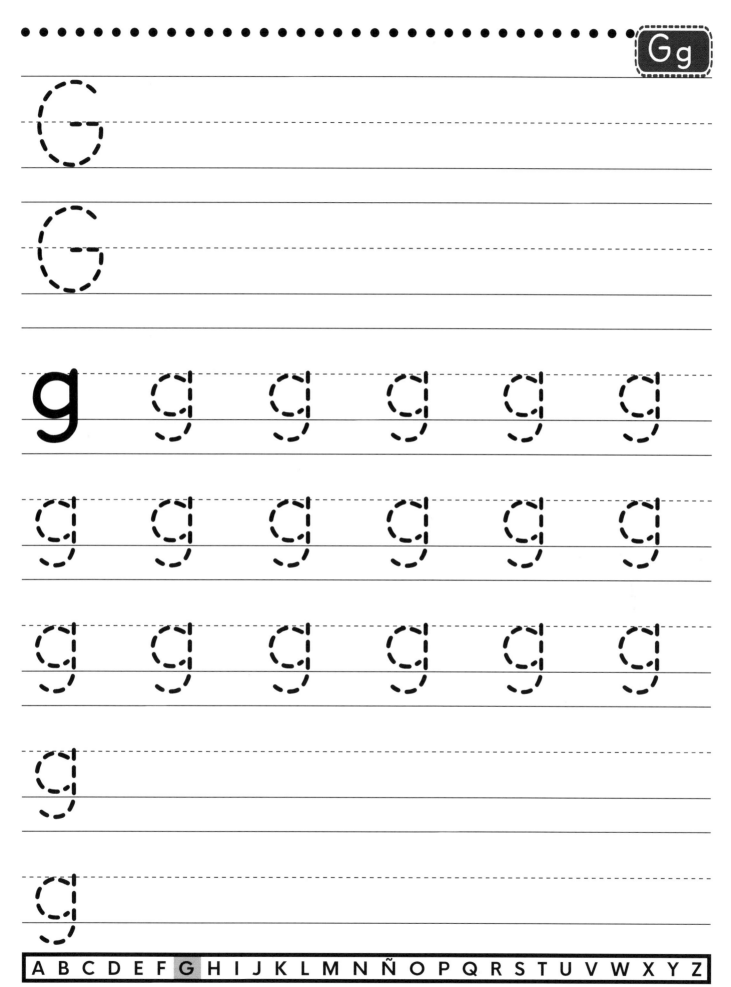

H de hipopotamo

Repasa cada una de las letras y luego escríbelas sin ayuda.

| A | B | C | D | E | F | G | **H** | I | J | K | L | M | N | Ñ | O | P | Q | R | S | T | U | V | W | X | Y | Z |

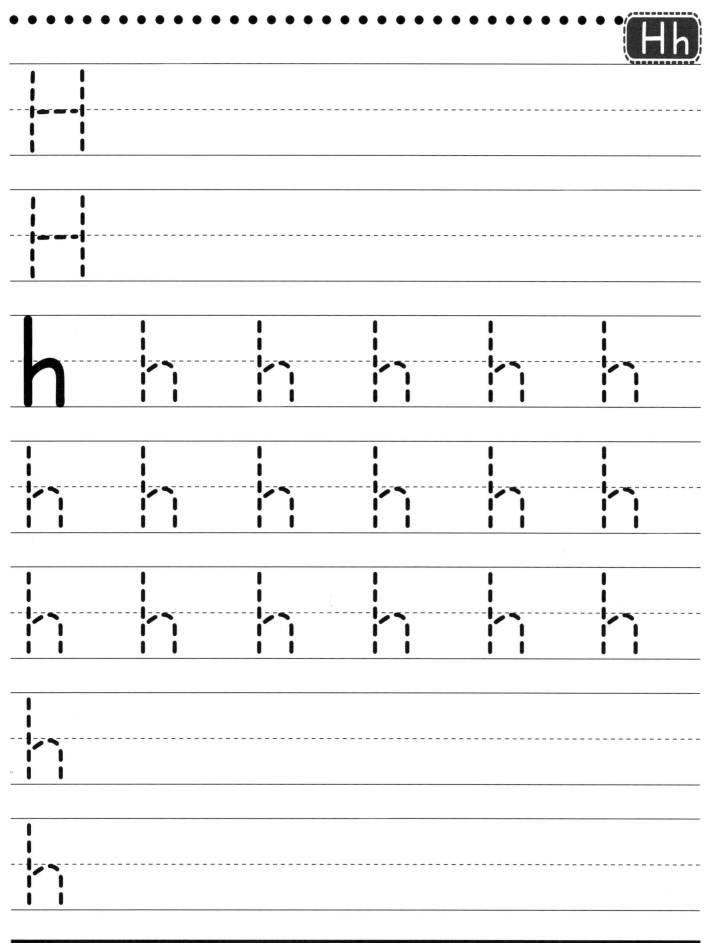

A B C D E F G H I J K L M N Ñ O P Q R S T U V W X Y Z

I de iguana

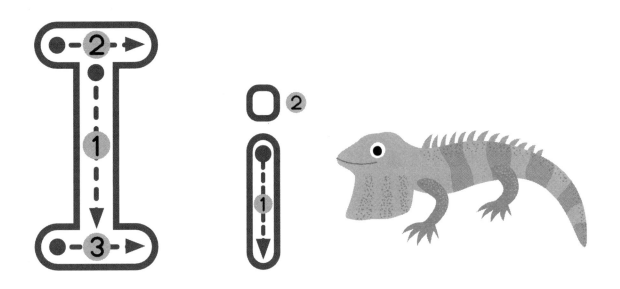

Repasa cada una de las letras y luego escríbelas sin ayuda.

I I I I I I

I I I I I I

I I I I I I

A B C D E F G H I J K L M N Ñ O P Q R S T U V W X Y Z

I

I

i i i i i i i i

i i i i i i i i

i i i i i i i i

i

i

A B C D E F G H I J K L M N Ñ O P Q R S T U V W X Y Z

J de jaguar

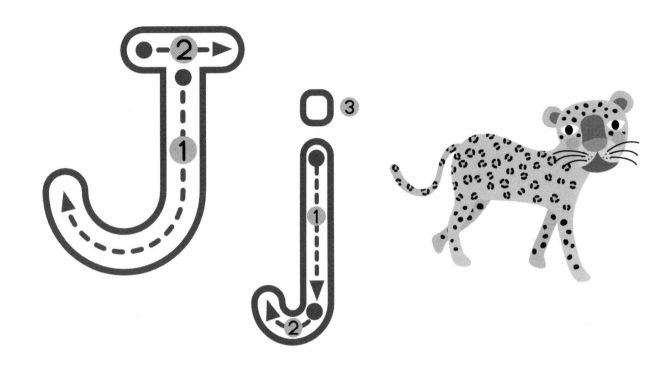

Repasa cada una de las letras y luego escríbelas sin ayuda.

A B C D E F G H I J K L M N Ñ O P Q R S T U V W X Y Z

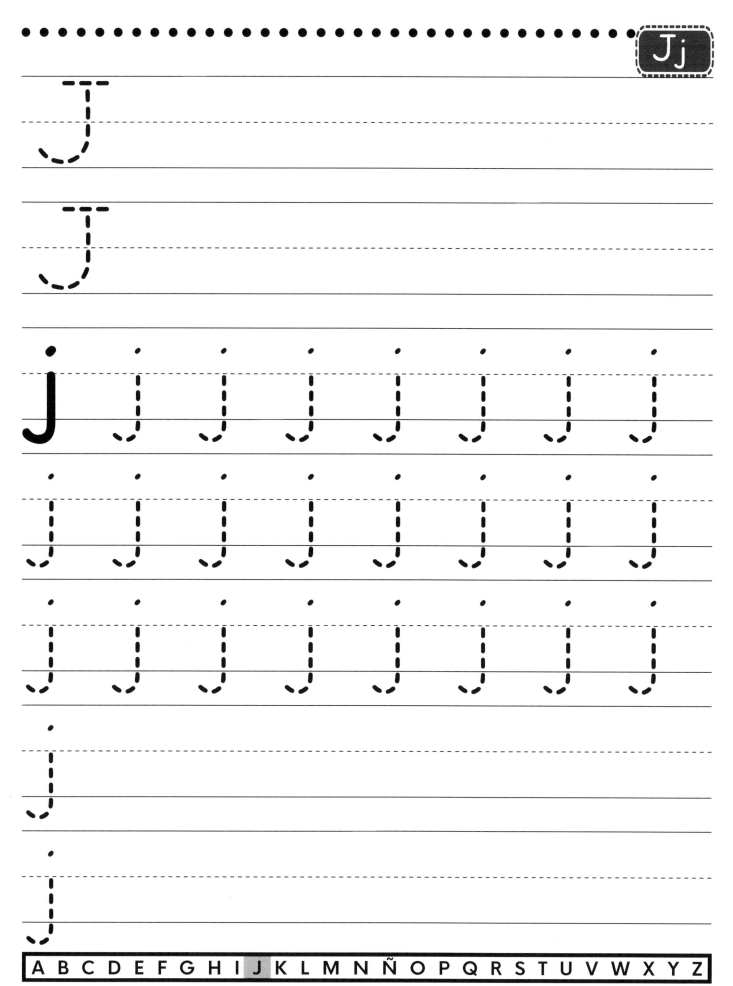

A B C D E F G H I J K L M N Ñ O P Q R S T U V W X Y Z

K de koala

Repasa cada una de las letras y luego escríbelas sin ayuda.

K K K K K K

K K K K K K

K K K K K K

A B C D E F G H I J K L M N Ñ O P Q R S T U V W X Y Z

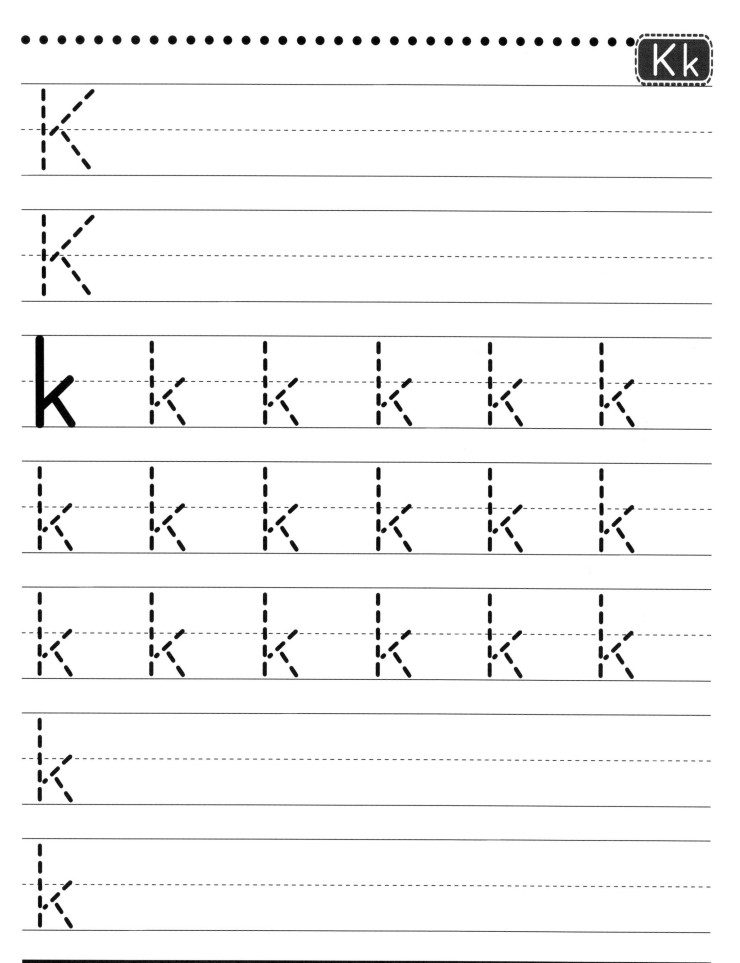

A B C D E F G H I J K L M N Ñ O P Q R S T U V W X Y Z

L de langosta

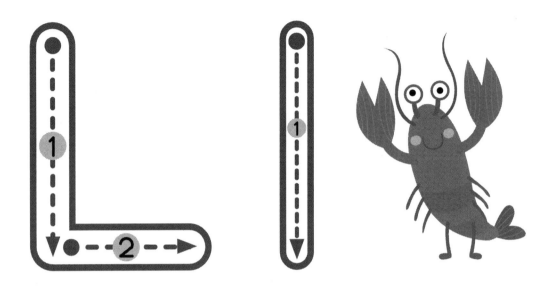

Repasa cada una de las letras y luego escríbelas sin ayuda.

L L L L L L

L L L L L L

L L L L L L

A B C D E F G H I J K L M N Ñ O P Q R S T U V W X Y Z

l l l l l l l l

l l l l l l l l

l l l l l l l l

l

l

A B C D E F G H I J K L M N Ñ O P Q R S T U V W X Y Z

M de mono

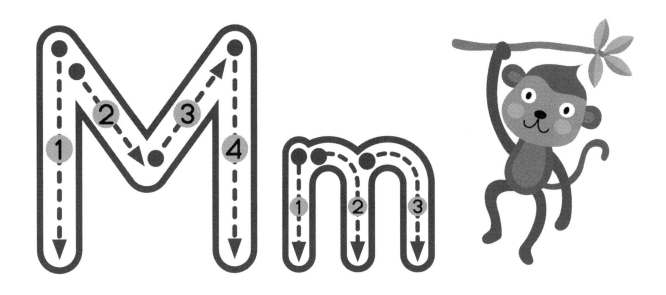

Repasa cada una de las letras y luego escríbelas sin ayuda.

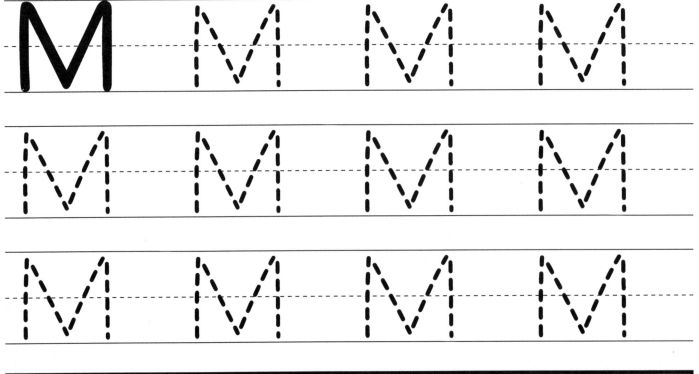

A B C D E F G H I J K L **M** N Ñ O P Q R S T U V W X Y Z

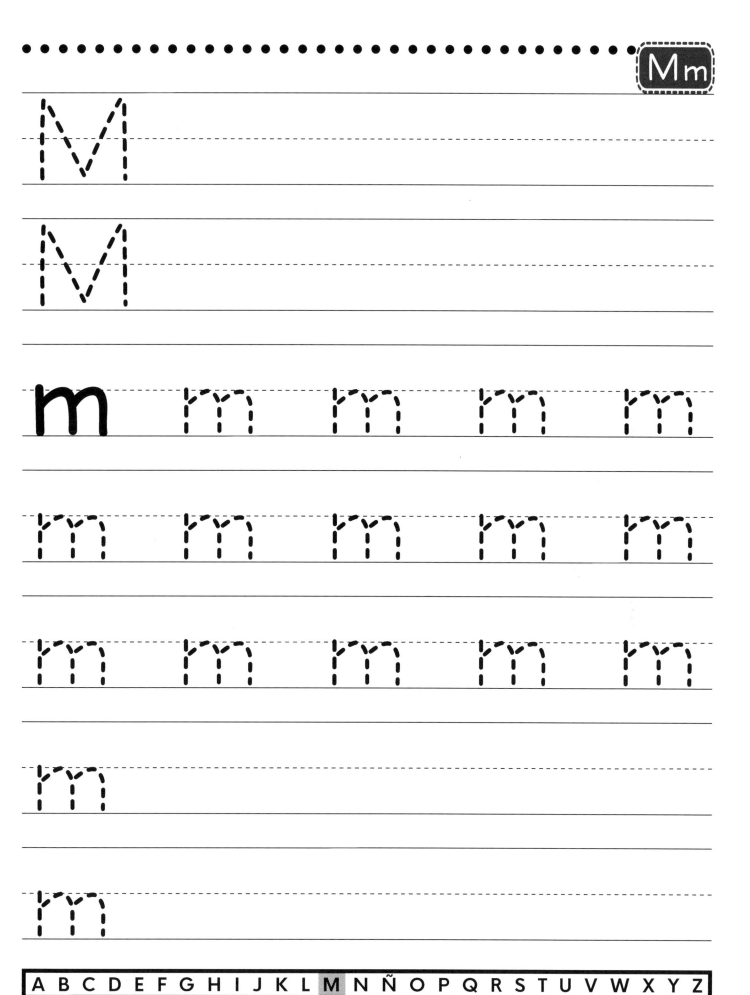

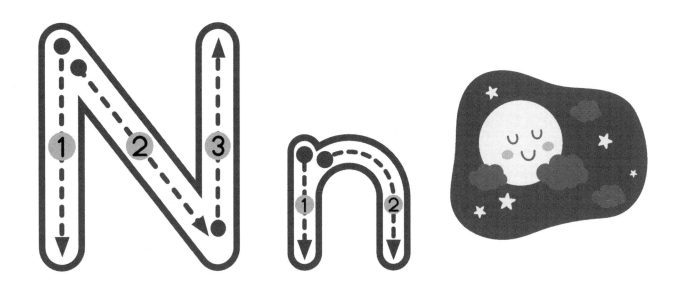

Repasa cada una de las letras y luego escríbelas sin ayuda.

N N N N N N N

N N N N N N N

N N N N N N N

A B C D E F G H I J K L M N Ñ O P Q R S T U V W X Y Z

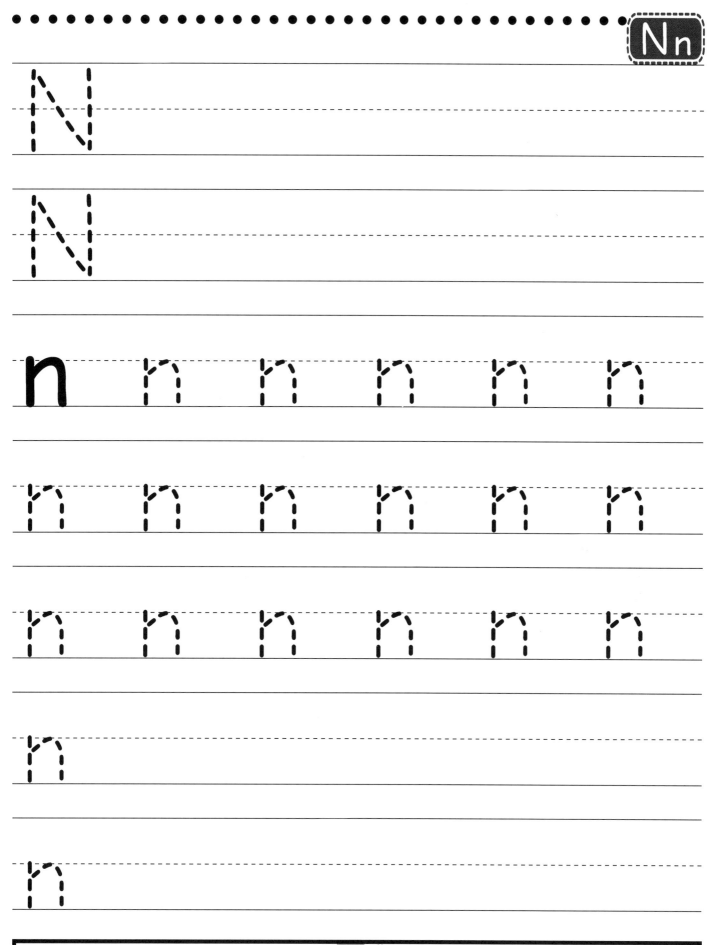

N n

N

N

n n n ñ n n

n n ñ n n n

n n ñ n n n

n

n

A B C D E F G H I J K L M N Ñ O P Q R S T U V W X Y Z

Repasa cada una de las letras y luego escríbelas sin ayuda.

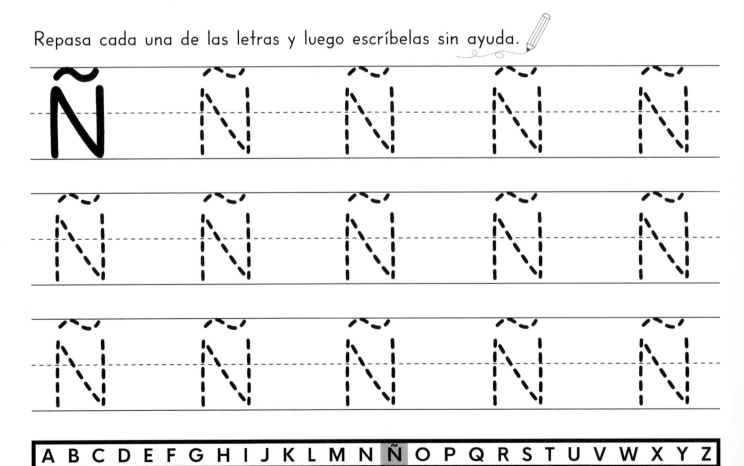

A B C D E F G H I J K L M N Ñ O P Q R S T U V W X Y Z

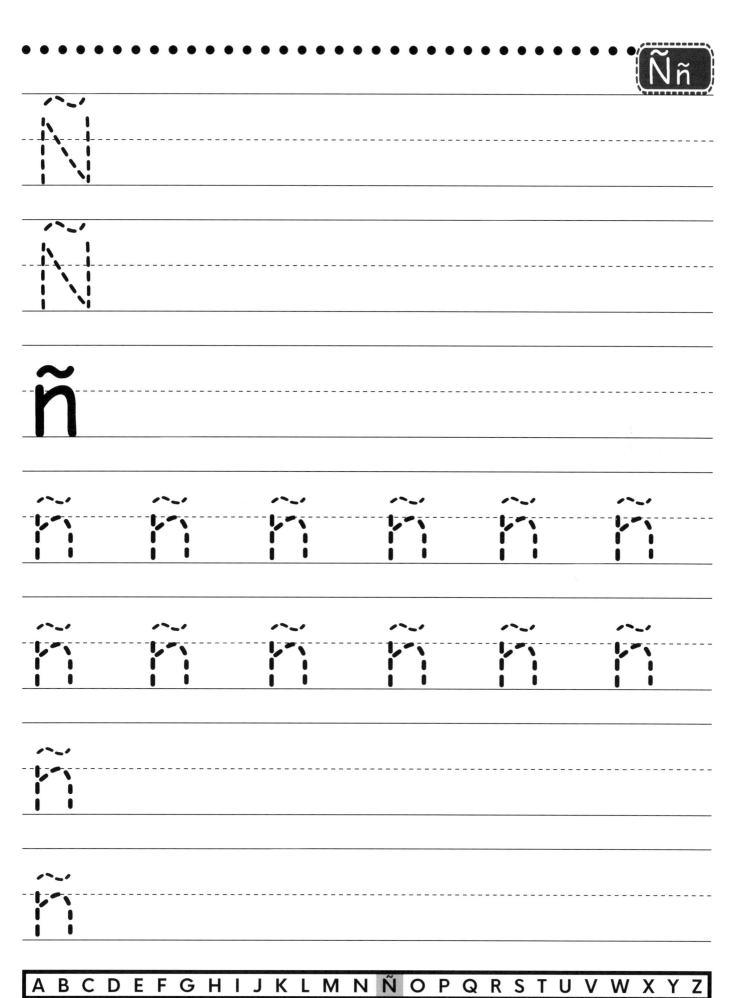

O de ostra

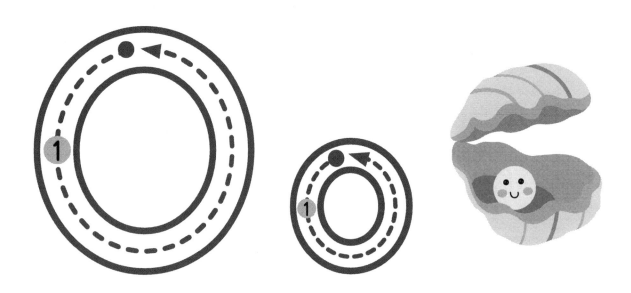

Repasa cada una de las letras y luego escríbelas sin ayuda.

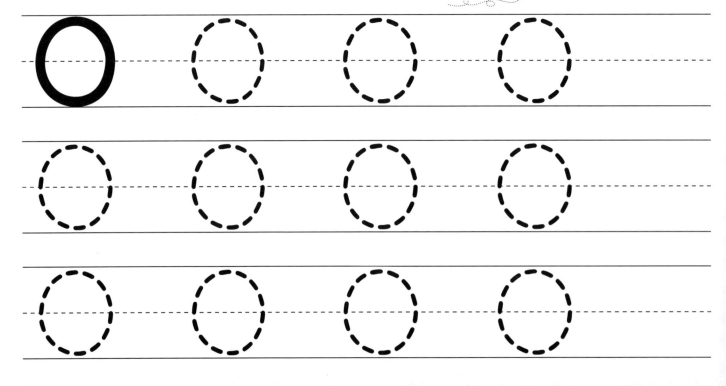

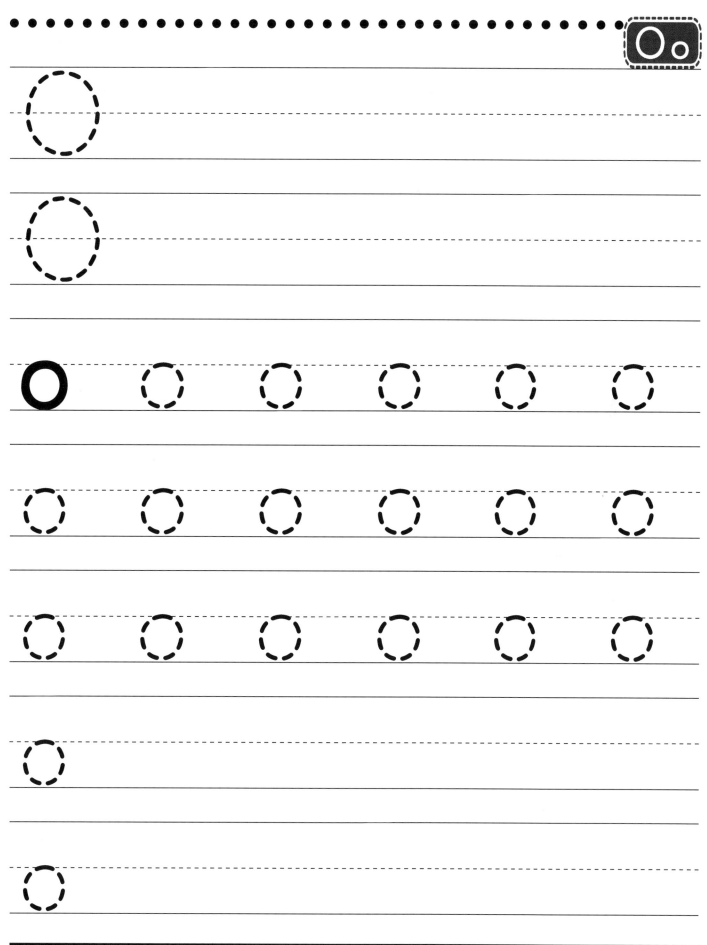

ABCDEFGHIJKLMNÑ**O**PQRSTUVWXYZ

P de pirata

Repasa cada una de las letras y luego escríbelas sin ayuda.

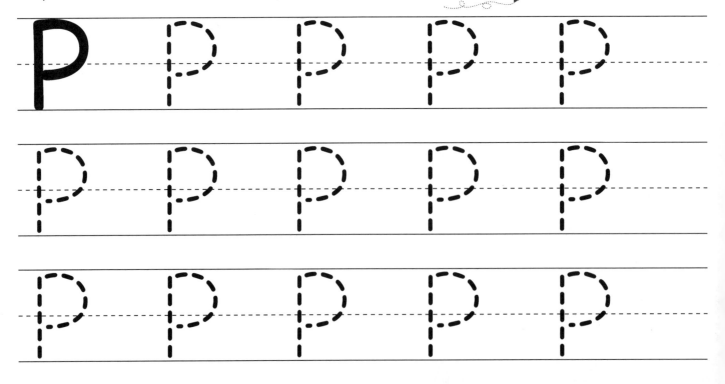

A B C D E F G H I J K L M N Ñ O **P** Q R S T U V W X Y Z

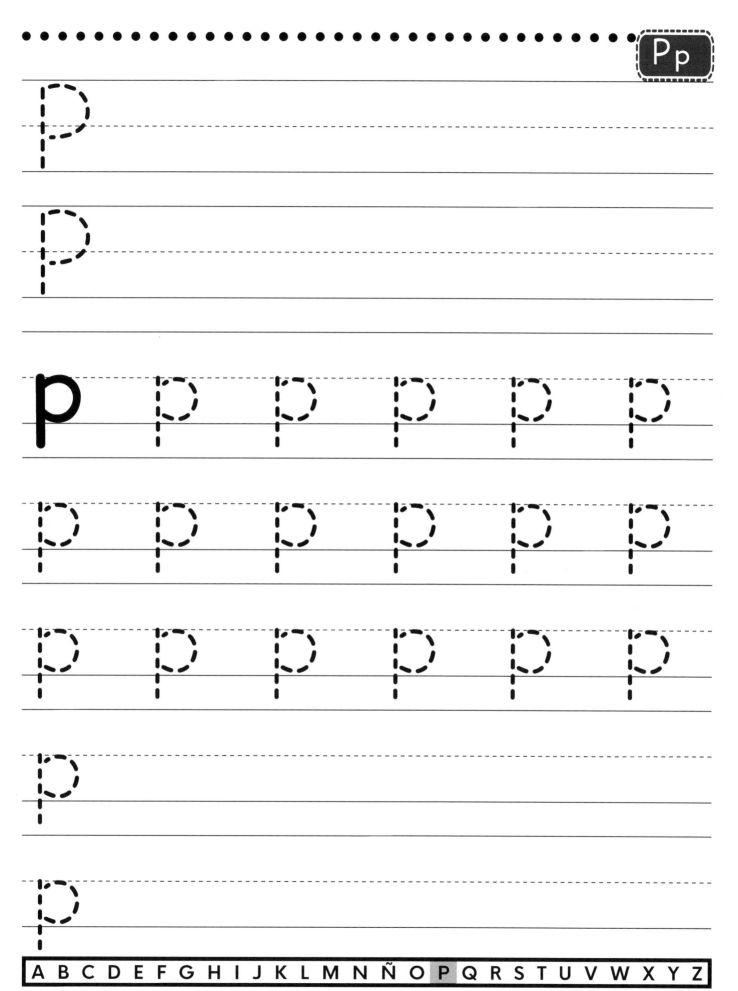

Q de queso

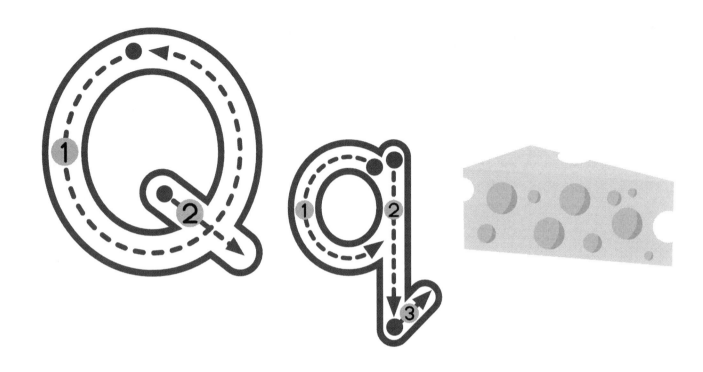

Repasa cada una de las letras y luego escríbelas sin ayuda.

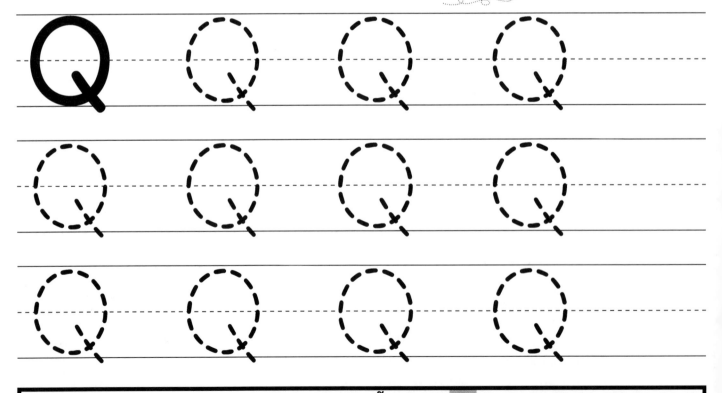

A B C D E F G H I J K L M N Ñ O P Q R S T U V W X Y Z

A B C D E F G H I J K L M N Ñ O P Q R S T U V W X Y Z

Repasa cada una de las letras y luego escríbelas sin ayuda.

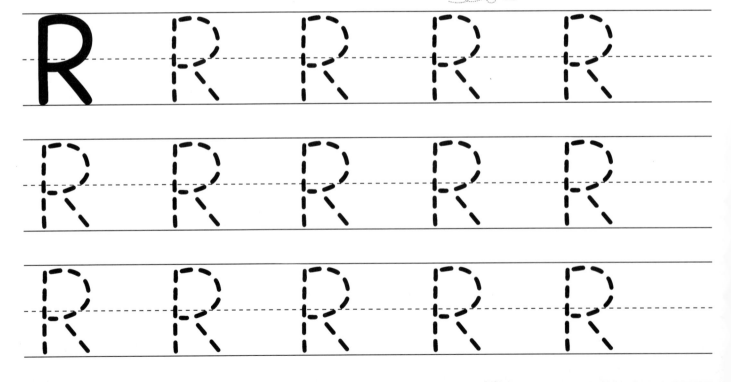

A B C D E F G H I J K L M N Ñ O P Q R S T U V W X Y Z

R

R

r r r r r r r

r r r r r r r

r r r r r r r

r

r

| A | B | C | D | E | F | G | H | I | J | K | L | M | N | Ñ | O | P | Q | R | S | T | U | V | W | X | Y | Z |

S de serpiente

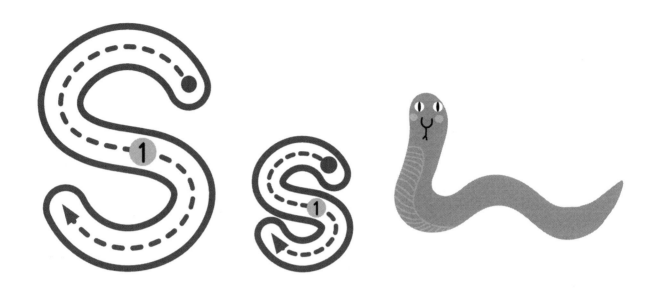

Repasa cada una de las letras y luego escríbelas sin ayuda.

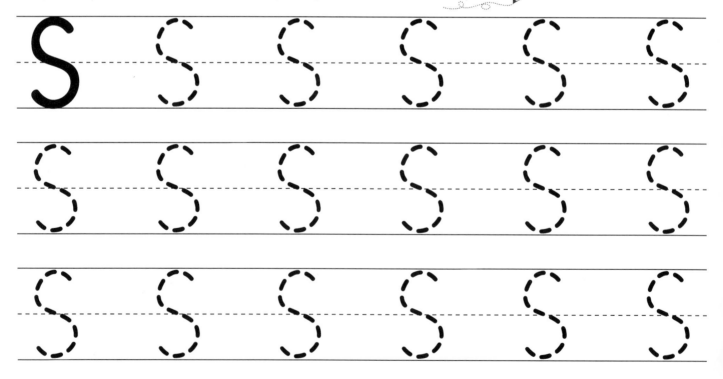

S s

S

S

S S S S S S S

S S S S S S S

S S S S S S S

S

S

A B C D E F G H I J K L M N Ñ O P Q R S T U V W X Y Z

pg 45

T de tucan

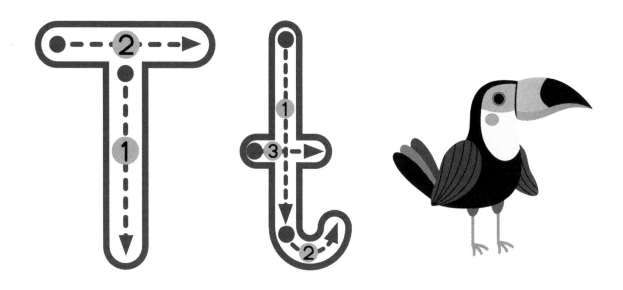

Repasa cada una de las letras y luego escríbelas sin ayuda.

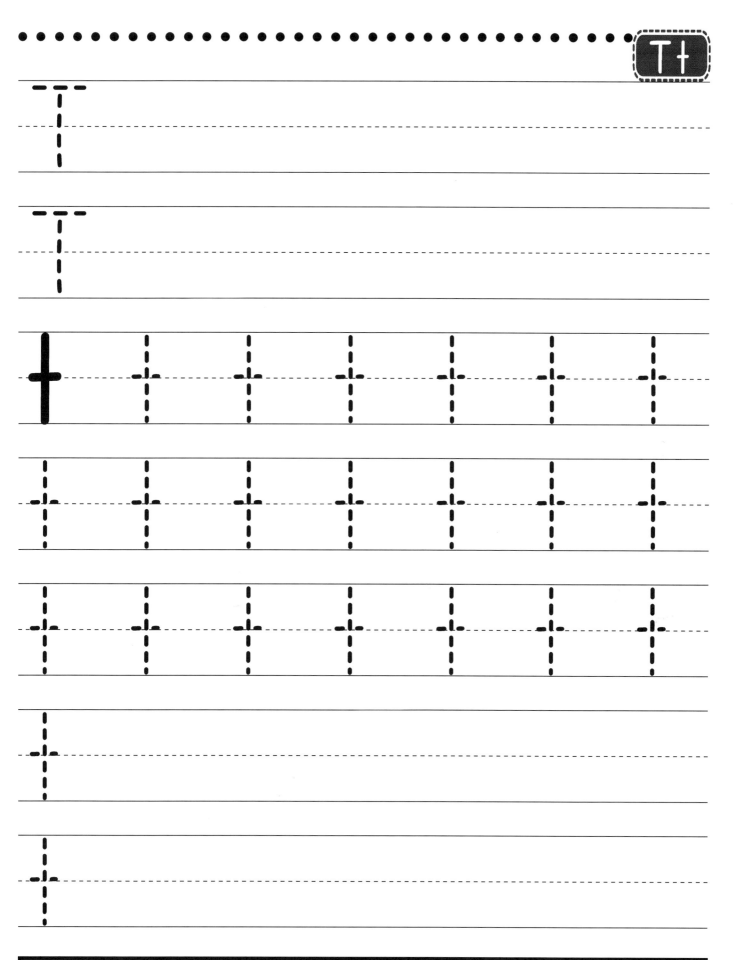

U de ukelele

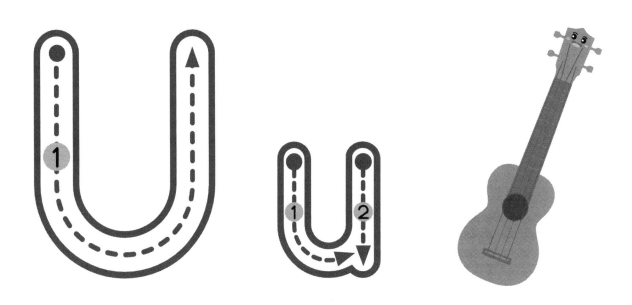

Repasa cada una de las letras y luego escríbelas sin ayuda.

U U U U U U

U U U U U U

U U U U U U

A B C D E F G H I J K L M N Ñ O P Q R S T U V W X Y Z

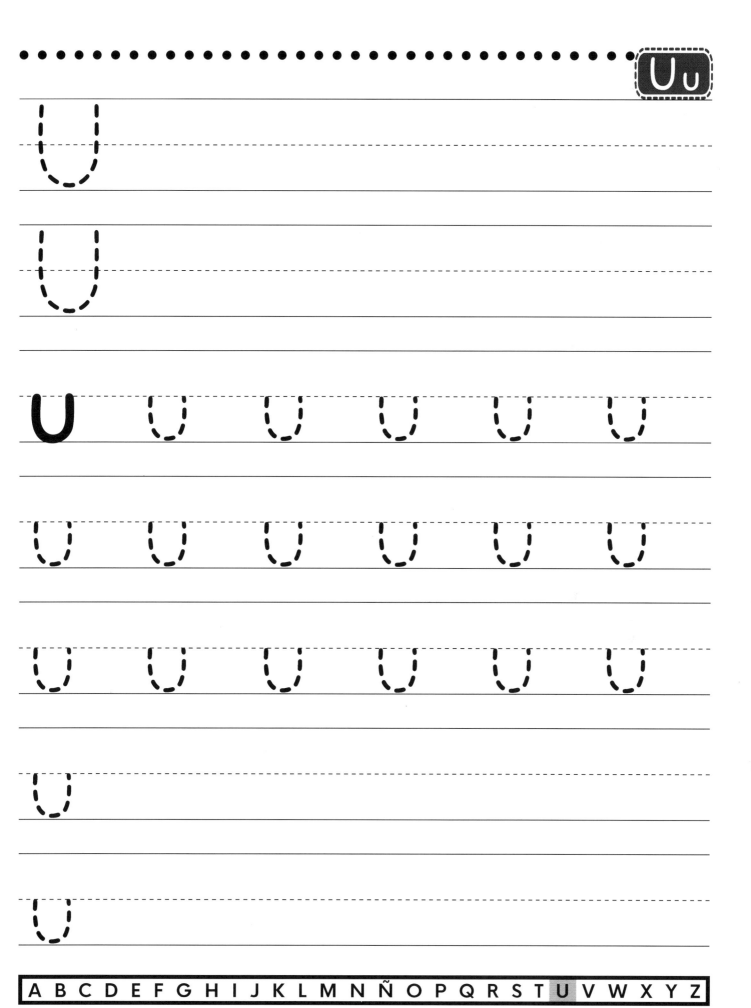

V de violin

Repasa cada una de las letras y luego escríbelas sin ayuda.

V V V V V

V V V V V

V V V V V

A B C D E F G H I J K L M N Ñ O P Q R S T U V W X Y Z

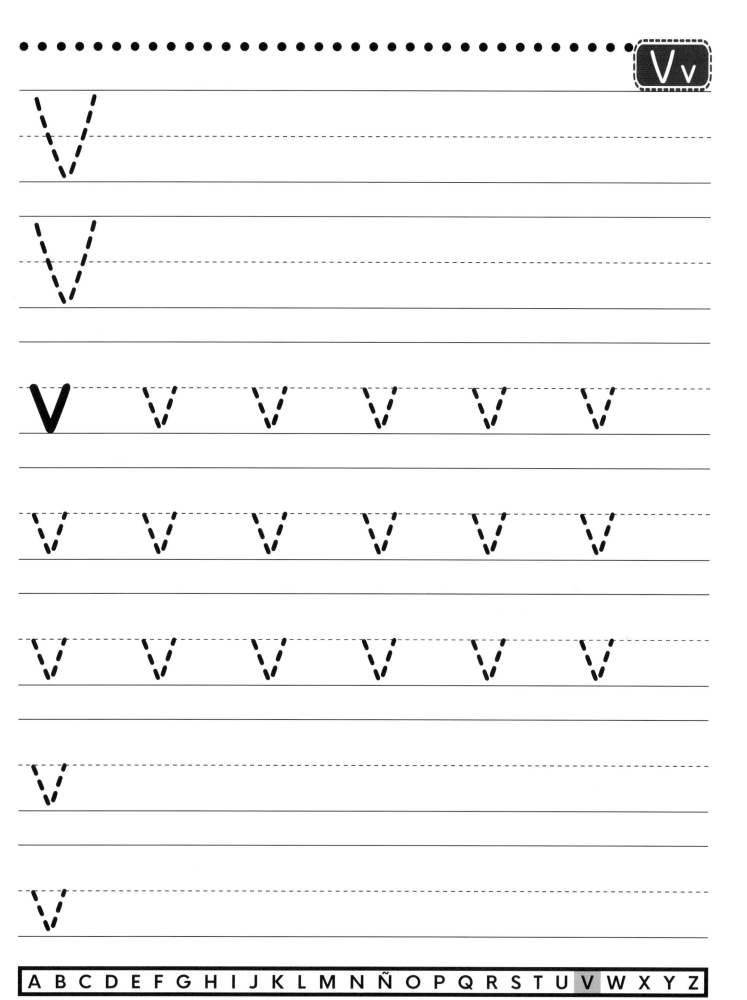

ABCDEFGHIJKLMNÑOPQRSTU**V**WXYZ

W de windsurf

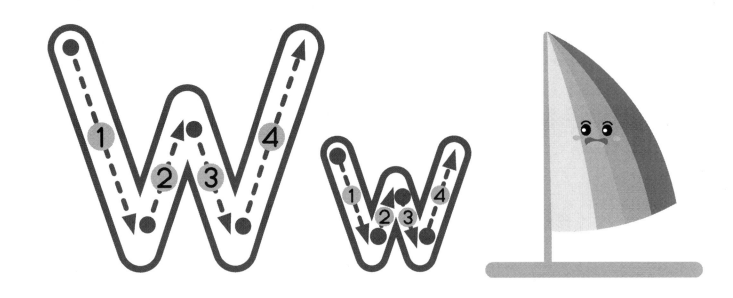

Repasa cada una de las letras y luego escríbelas sin ayuda.

W   W   W   W

W   W   W   W

W   W   W   W

A B C D E F G H I J K L M N Ñ O P Q R S T U V **W** X Y Z

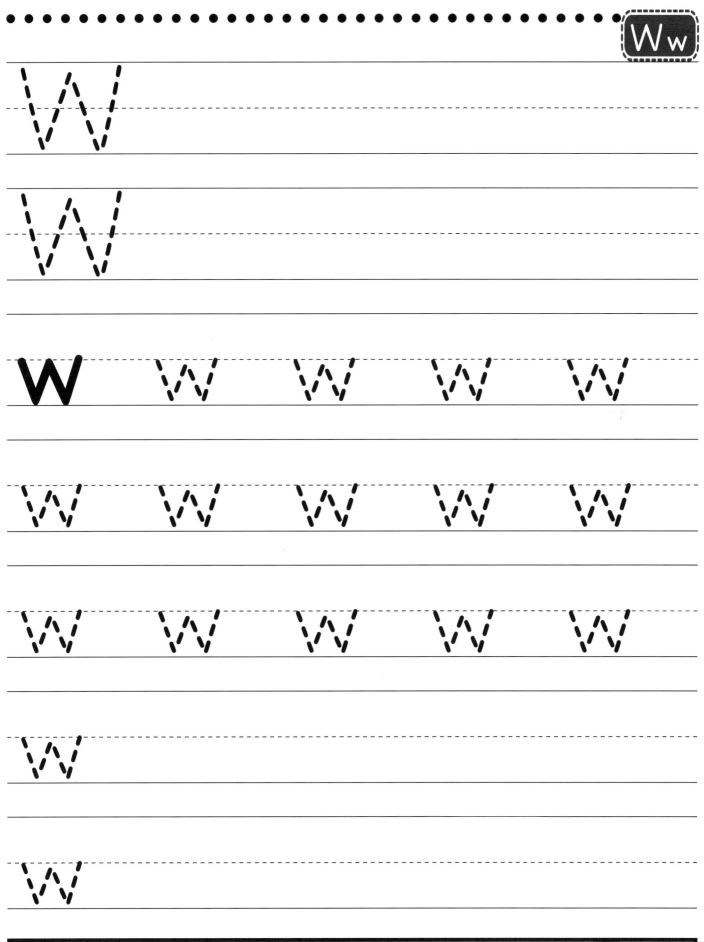

X de xilofono

Repasa cada una de las letras y luego escríbelas sin ayuda.

X X X X X

X X X X X

X X X X X

A B C D E F G H I J K L M N Ñ O P Q R S T U V W X Y Z

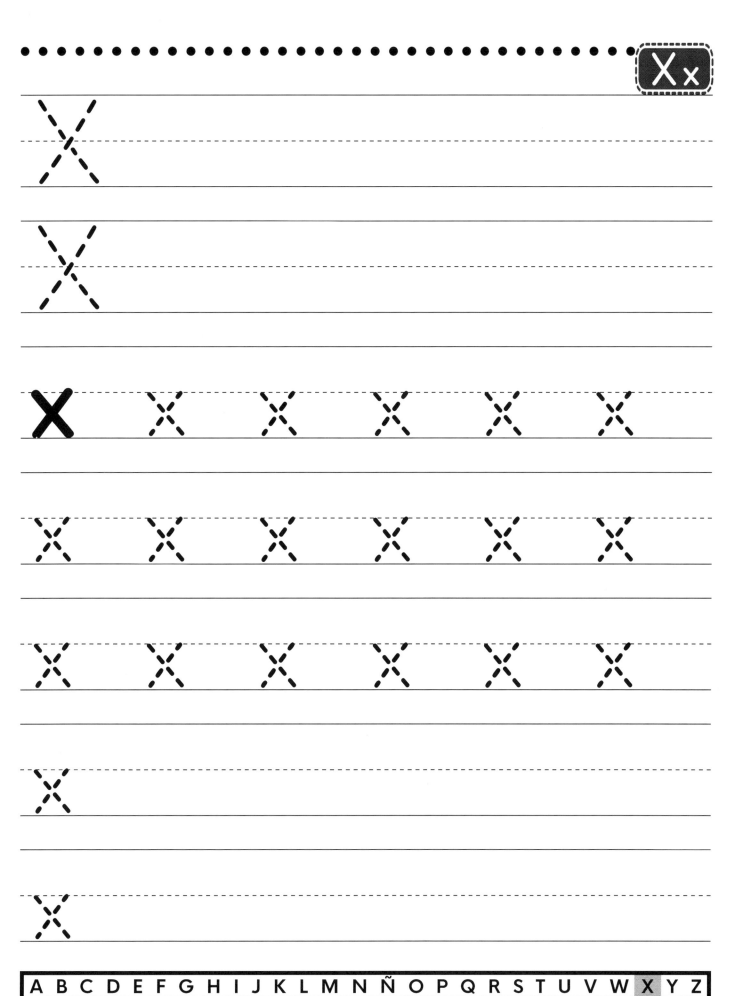

ABCDEFGHIJKLMNÑOPQRSTUVWXYZ

Y de yak

Repasa cada una de las letras y luego escríbelas sin ayuda.

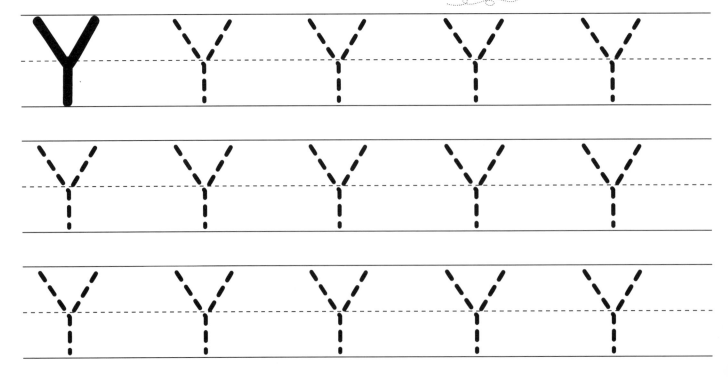

A B C D E F G H I J K L M N Ñ O P Q R S T U V W X Y Z

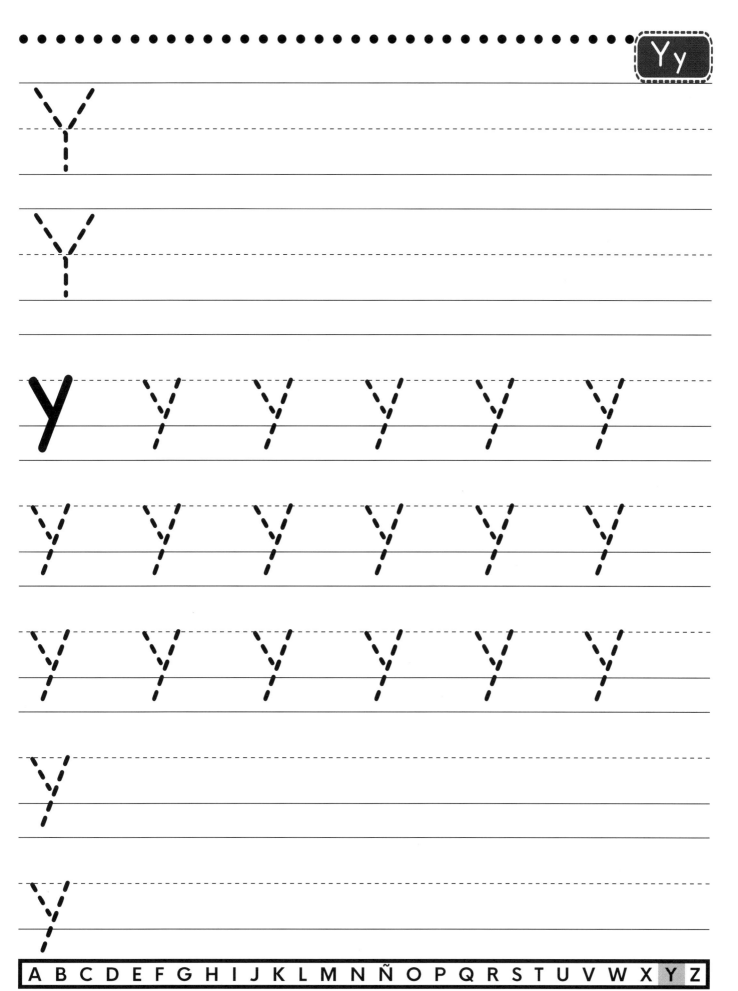

A B C D E F G H I J K L M N Ñ O P Q R S T U V W X Y Z

Z de zorro

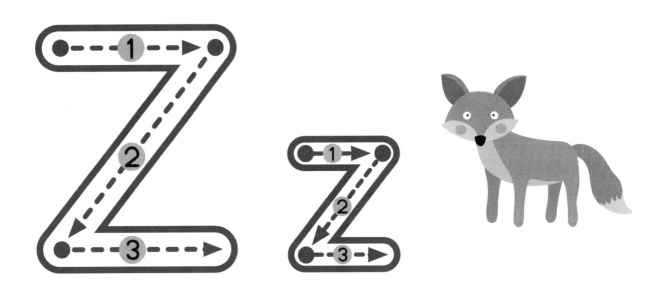

Repasa cada una de las letras y luego escríbelas sin ayuda.

Z Z Z Z Z

Z Z Z Z Z

Z Z Z Z Z

A B C D E F G H I J K L M N Ñ O P Q R S T U V W X Y Z

Z

Z

z Z Z Z Z Z

Z Z Z Z Z Z

Z Z Z Z Z Z

Z

Z

A B C D E F G H I J K L M N Ñ O P Q R S T U V W X Y Z

¡Bien hecho! ¡Has repasado todo el alfabeto!
Ahora vamos a hacerlo una vez más todo junto.

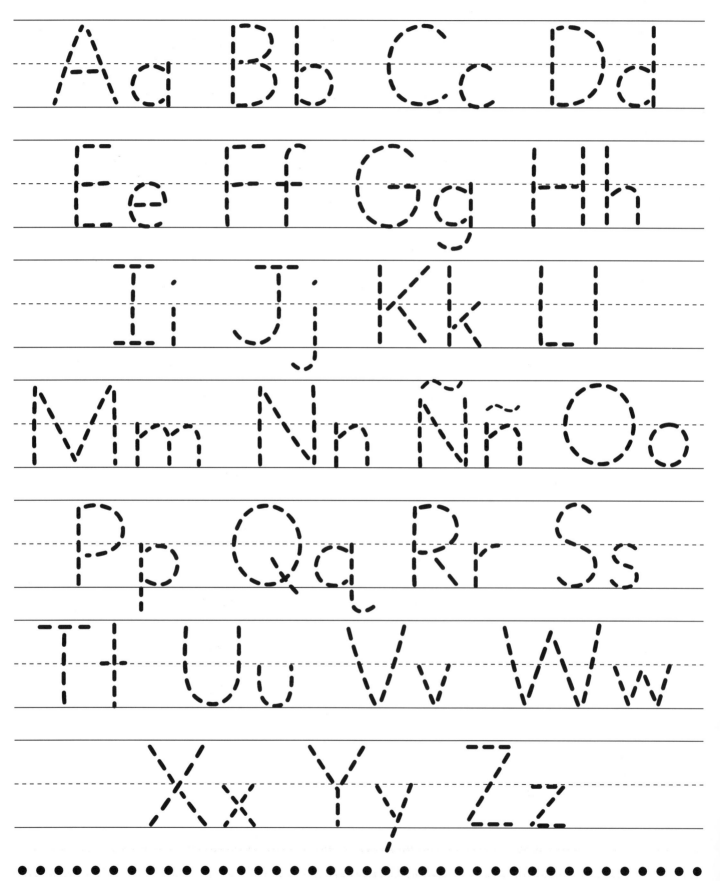

PALABRAS

¡Muy buen trabajo con el alfabeto! Ahora ya puedes juntar las letras y formar palabras. Vamos a empezar con la letra «A» y a avanzar en orden alfabético una vez más, así que coge el lápiz, ¡y a por todas!

ala   ala   ala

azul   azul   azul

asno   asno

A B C D E F G H I J K L M N Ñ O P Q R S T U V W X Y Z

Repasa cada palabra y luego escríbelas sin ayuda.

bebé   bebé

búho   búho

bol   bol   bol

A B C D E F G H I J K L M N Ñ O P Q R S T U V W X Y Z

Repasa cada palabra y luego escríbelas sin ayuda.

caña   caña

comer   comer

cuna   cuna

A B C D E F G H I J K L M N Ñ O P Q R S T U V W X Y Z

dos   dos   dos

día   día   día

dedo   dedo

A B C D E F G H I J K L M N Ñ O P Q R S T U V W X Y Z

Repasa cada palabra y luego escríbelas sin ayuda.

este   este

euro   euro

era   era   era

A B C D **E** F G H I J K L M N Ñ O P Q R S T U V W X Y Z

Repasa cada palabra y luego escríbelas sin ayuda. ✏️

fuente   fuente

foto   foto   foto

faro   faro   faro

A B C D E **F** G H I J K L M N Ñ O P Q R S T U V W X Y Z

Repasa cada palabra y luego escríbelas sin ayuda.

gato   gato

gel   gel   gel

giro   giro   giro

A B C D E F **G** H I J K L M N Ñ O P Q R S T U V W X Y Z

Repasa cada palabra y luego escríbelas sin ayuda.

hacha   hacha

hielo   hielo

hueso   hueso

A B C D E F G H I J K L M N Ñ O P Q R S T U V W X Y Z

Repasa cada palabra y luego escríbelas sin ayuda.

isla   isla   isla

imán   imán

iglú   iglú   iglú

A B C D E F G H **I** J K L M N Ñ O P Q R S T U V W X Y Z

Repasa cada palabra y luego escríbelas sin ayuda. ✏️

jefe   jefe   jefe

joya   joya

julio   julio

| A | B | C | D | E | F | G | H | I | J | K | L | M | N | Ñ | O | P | Q | R | S | T | U | V | W | X | Y | Z |

Repasa cada palabra y luego escríbelas sin ayuda.

kilo   kilo   kilo

kiwi   kiwi   kiwi

koala   koala

A B C D E F G H I J **K** L M N Ñ O P Q R S T U V W X Y Z

Repasa cada palabra y luego escríbelas sin ayuda.

lana   lana

leña   leña

lima   lima   lima

| A | B | C | D | E | F | G | H | I | J | K | L | M | N | Ñ | O | P | Q | R | S | T | U | V | W | X | Y | Z |

maíz   maíz

mar   mar   mar

milto   milto

A B C D E F G H I J K L **M** N Ñ O P Q R S T U V W X Y Z

nadar   nadar

nuevo   nuevo

no   no   no   no

A B C D E F G H I J K L M **N** Ñ O P Q R S T U V W X Y Z

Repasa cada palabra y luego escríbelas sin ayuda.

ñu   ñu   ñu   ñu

ñora   ñora

ñoqui   ñoqui

A B C D E F G H I J K L M N Ñ O P Q R S T U V W X Y Z

Repasa cada palabra y luego escríbelas sin ayuda.

ojo   ojo   ojo

ola   ola   ola

oreja   oreja

A B C D E F G H I J K L M N Ñ O P Q R S T U V W X Y Z

Repasa cada palabra y luego escríbelas sin ayuda.

pala   pala

pesas   pesas

postre   postre

A B C D E F G H I J K L M N Ñ O P Q R S T U V W X Y Z

que   que   que

quien   quien

queso   queso

A B C D E F G H I J K L M N Ñ O P Q R S T U V W X Y Z

Repasa cada palabra y luego escríbelas sin ayuda.

rojo   rojo   rojo

raro   raro   raro

risa   risa   risa

A B C D E F G H I J K L M N Ñ O P Q R S T U V W X Y Z

Repasa cada palabra y luego escríbelas sin ayuda. ✏️

soso   soso

seta   seta

salón   salón

A B C D E F G H I J K L M N Ñ O P Q R S T U V W X Y Z

torre   torre

tenis   tenis

tía   tía   tía

A B C D E F G H I J K L M N Ñ O P Q R S **T** U V W X Y Z

Repasa cada palabra y luego escríbelas sin ayuda.

uña   uña   uña

unir   unir   unir

uno   uno   uno

A B C D E F G H I J K L M N Ñ O P Q R S T U V W X Y Z

Repasa cada palabra y luego escríbelas sin ayuda.

vela   vela   vela

vida   vida   vida

vaca   vaca

A B C D E F G H I J K L M N Ñ O P Q R S T U **V** W X Y Z

Repasa cada palabra y luego escríbelas sin ayuda. 🖉

wifi   wifi   wifi

web   web   web

waterpolo

A B C D E F G H I J K L M N Ñ O P Q R S T U V W X Y Z

Repasa cada palabra y luego escríbelas sin ayuda.

Xavier   Xavier

xilófono

X-men   X-men

A B C D E F G H I J K L M N Ñ O P Q R S T U V W X Y Z

Repasa cada palabra y luego escríbelas sin ayuda. ✏️

yate   yate

yogur   yogur

yeso   yeso

A B C D E F G H I J K L M N Ñ O P Q R S T U V W X **Y** Z

Repasa cada palabra y luego escríbelas sin ayuda. ✏️

zapato   zapato

zueco   zueco

zorro   zorro

A B C D E F G H I J K L M N Ñ O P Q R S T U V W X Y **Z**

NÚMEROS

Ahora que ya controlas las palabras, vamos a practicar con los números del 1 al 10.

Repasa cada número y luego escríbelo sin ayuda.

0   0   0   0

0

cero cero cero

cero

¿Cuántos peces hay?
Escribe el número en el espacio en blanco.

Hay _____ peces.

| 0 | 1 | 2 | 3 | 4 | 5 | 6 | 7 | 8 | 9 | 10 |

Repasa cada número y luego escríbelo sin ayuda.

1 1 1 1 1 1 1 1 1 1 1

1

uno   uno   uno

un   un   un

¿Cuántos erizos hay?
Escribe el número en el espacio en blanco.

Hay _____ erizo.

| 0 | 1 | 2 | 3 | 4 | 5 | 6 | 7 | 8 | 9 | 10 |

Repasa cada número y luego escríbelo sin ayuda.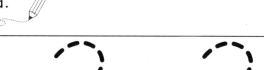

2 2 2 2 2

2

dos dos dos

dos

¿Cuántos helados hay?

Escribe el número en el espacio en blanco.

Hay _____ helados.

| 0 | 1 | 2 | 3 | 4 | 5 | 6 | 7 | 8 | 9 | 1 0 |

Repasa cada número y luego escríbelo sin ayuda.

3 3 3 3 3

3

tres tres tres

tres

¿Cuántos camionetas hay?
Escribe el número en el espacio en blanco.

Hay _____ camionetas.

| 0 | 1 | 2 | 3 | 4 | 5 | 6 | 7 | 8 | 9 | 10 |

4 4 4 4

4

cuatro cuatro

cuatro

¿Cuántos leones hay?

Escribe el número en el espacio en blanco.

Hay _____ leones.

| 0 | 1 | 2 | 3 | 4 | 5 | 6 | 7 | 8 | 9 | 10 |

Repasa cada número y luego escríbelo sin ayuda. ✏️

5 5 5 5 5

5

cinco cinco

cinco

¿Cuántos unicornios hay?
Escribe el número en el espacio en blanco.

Hay _____ unicornios.

| 0 | 1 | 2 | 3 | 4 | 5 | 6 | 7 | 8 | 9 | 10 |

Repasa cada número y luego escríbelo sin ayuda.

6   6   6   6   6

6

seis   seis   seis

seis

¿Cuántos tiburones hay?

Escribe el número en el espacio en blanco.

Hay _____ tiburones.

0	1	2	3	4	5	6	7	8	9	10

Repasa cada número y luego escríbelo sin ayuda.

7   7   7   7   7

7

siete   siete

siete

¿Cuántos arcoíris hay?

Escribe el número en el espacio en blanco.

Hay _____ acoíris.

0	1	2	3	4	5	6	7	8	9	10

Repasa cada número y luego escríbelo sin ayuda.

8   8   8   8   8

8

ocho   ocho

ocho

¿Cuántos cerdos hay?
Escribe el número en el espacio en blanco.

Hay _____ cerdos.

| 0 | 1 | 2 | 3 | 4 | 5 | 6 | 7 | 8 | 9 | 1 0 |

Repasa cada número y luego escríbelo sin ayuda.

q q q q q

q

nueve nueve

nueve

¿Cuántos robots hay?
Escribe el número en el espacio en blanco.

Hay _____ robots.

| 0 | 1 | 2 | 3 | 4 | 5 | 6 | 7 | 8 | 9 | 1 0 |

Repasa cada número y luego escríbelo sin ayuda.

10   10   10   10

10

diez   diez   diez

diez

¿Cuántos búhos hay?
Escribe el número en el espacio en blanco.

Hay _____ búhos.

| 0 | 1 | 2 | 3 | 4 | 5 | 6 | 7 | 8 | 9 | 1 0 |

CUARTA
PARTE

FRASES

En esta sección vamos a seguir practicando la memoria motriz uniendo palabras para formar frases. ¡Sigue haciéndolo así de bien!

Me gusta jugar.

Vuelo la cometa.

Sube muy alto.

Repasa cada frase y luego escríbela sin ayuda.

Ana tiene un gato.

El gato se sentó.

Quiero un gato.

Ed likes to dig.

He digs a lot.

Edu es mi perro.

Repasa cada frase y luego escríbela sin ayuda.

Este es mi sombrero.

Llevo mi sombrero.

Es un buen sombrero.

Repasa cada frase y luego escríbela sin ayuda.

Veo un autobús.

Es amarillo.

El autobús se va.

Repasa cada frase y luego escríbela sin ayuda. 🖊

Mi bici es roja.

Me gusta ir en bici.

Voy rápido.

Hay un bicho.

Es un bicho bonito.

Vive dentro de un tarro.

Repasa cada frase y luego escríbela sin ayuda.

Me gusta pasear.

Paseo por fuera.

Hace buen día.

El pájaro canta.

Es muy bonito.

Yo también canto.

Repasa cada frase y luego escríbela sin ayuda.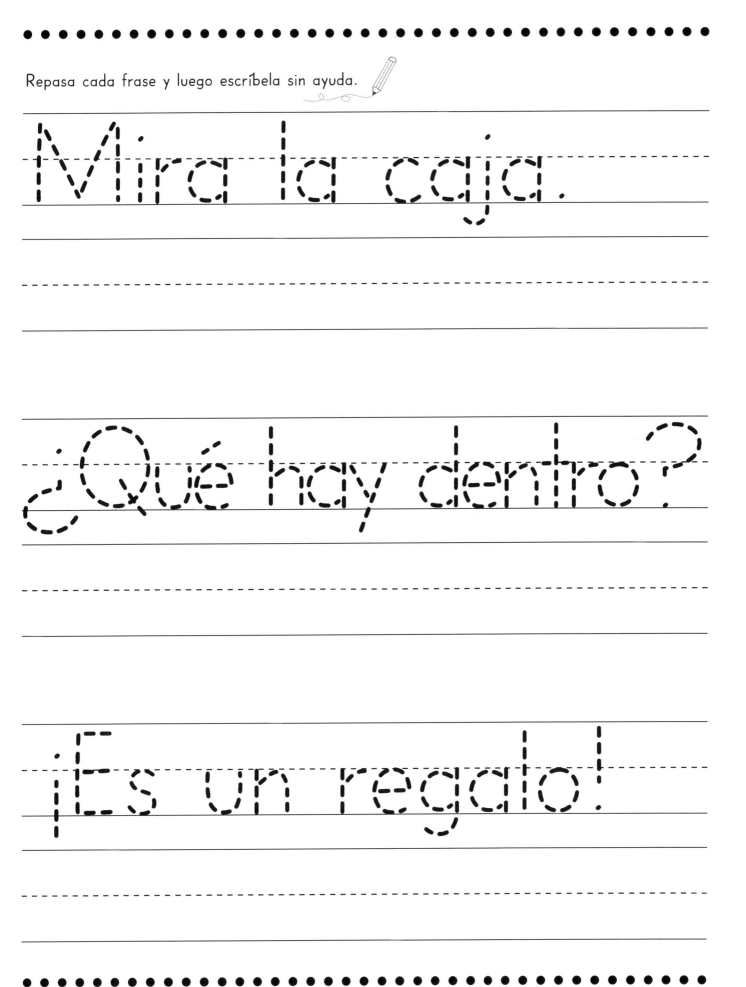

Mira la caja.

¿Qué hay dentro?

¡Es un regalo!

Repasa cada frase y luego escríbela sin ayuda.

El perro corre.

Yo también corro.

Vamos muy rápido.

Repasa cada frase y luego escríbela sin ayuda.

Mar tiene una concha.

La concha es rosa.

Yo también quiero una.

Este es mi perrito.

Se llama Tobi.

A Tobi le gusta saltar.

Me gusta cortar.

Corto el papel.

Corto y pego.

Repasa cada frase y luego escríbela sin ayuda.

Fuera hace calor.

Yo también tengo calor.

Me voy adentro.

Repasa cada frase y luego escríbela sin ayuda.

La casa es azul.

Tiene una puerta.

Duermo dentro de ella.

Repasa cada frase y luego escríbela sin ayuda. ✏️

Me encanta cocinar.

Preparo un pastel.

¡A comer!

Repasa cada frase y luego escríbela sin ayuda.

Teo es un payaso.

Es muy gracioso.

Nos gusta reír.

Made in United States
Orlando, FL
13 September 2023

36919569R00065